UNA VERDAD INTERIOR

por
Temi Díaz

ilustrado por
Jose Navarro

DEDICATORIA:

Para Ms. Garcia, gracias por inspirar la mente de todos!

Esta es la historia de una niña creativa, Raquel:
Muy abierta, inteligente y divertida.

Un nuevo comienzo estaba por empezar,
ya que de ciudad se acababa de mudar.

Y Raquel no podía contener
la felicidad que le salía por doquier.
Ya que a una nueva escuela iba a entrar
y su mamá al primer día la iba a acompañar...

Mientras su mamá la ayudaba a alistarse,
Raquel solo podía imaginarse,

TODAS LAS AVENTURAS QUE ESTABAN POR APROXIMARSE.

En camino la mamá un consejo le quiso dar:
"Escoge bien con quien te vas a sentar,
ya que algunos niños solo quieren molestar."

Raquel, muy confundida, no lograba entender
porqué su mamá tanta preocupación había de tener.
 "¿Mamá, por qué me van a molestar?"

"A veces, con los niños nuevos no quieren jugar."
"Hasta se pueden reír cuando uno se quiere expresar."

"Entonces, si sientes que una burla vas a recibir,
es mejor guardarte lo que vayas a decir."

Con estas palabras, la mamá se despidió
y Raquel en su nueva aventura emprendió...

Entusiasmada caminó hacia su nuevo salón,
esperando todo lo que venía con mucha ilusión.

Pero justo antes de entrar, empezó a escuchar los consejos que su mamá le acababa de dar.

Al entrar, una gran preocupación sintió
por acordarse de lo que su mamá le advirtió.

A B C D E F G H I

WELC

La maestra desde una esquina pudo observar,
como a Raquel le estaba costando entrar.

"Niños: esta es Raquel, démosle una bienvenida con mucha emoción."
"¡Bienvenida Raquel!" Exclamaron todos en el salón.

Hacia un puesto Raquel se dirigió
y otra vez la voz de su mamá apareció.

"Escoge bien con quien te vas a sentar,
ya que algunos niños solo quieren molestar."

Andrés, un compañero, le empezó a hablar:
"¡Hola, Raquel! Aquí te puedes sentar."

Raquel, congelada, solo pudo pensar
en aquellas frases que en su mente no paraban de sonar:

"Es mejor guardarte lo que vayas a decir,
si sientes que una burla vas a recibir."

Una nube gris en el cuerpo de Raquel se formó,
por protegerse de los miedos que su mente creó.

Esta nube gris se esparcía por todo su interior,
haciendo que Raquel se sintiera inferior.

La nube gris hasta logró nublar su visión,
haciéndola creer que los niños tenían una mala intención.

Al salir de la escuela, a su mamá le lloró.
"Mamá, todo lo que me dijiste fue verdad."

La mamá, preocupada, le respondió:
"No te preocupes amor, hablaré con tu
maestra y todo estará mejor."

La mamá se reunió con la maestra en el salón escolar, para que la situación se llegara a solucionar.

"¿Cómo le fue a Raquel en el primer día?" La maestra le preguntó.
"Fue como le advertí." La mamá le contestó.

"Sus compañeros no la aceptan por ser la nueva del salón, pero no me sorprende, porque a mi también me sucedió."

La maestra se dio cuenta que esos pensamientos de temor,
venían de la voz de una mamá con heridas en su interior.

"Por querer proteger a Raquel de lo que te sucedió,
tu preocupación fue lo que apareció
y así fue como ella mucho miedo absorbió."

"Hay que enseñarle que no tiene nada que temer
siendo ella misma siempre va a pertenecer."

La mamá empezó a agradecer
lo que la maestra la había hecho entender:

Para evitar dolores del pasado,
miedos a su hija le había enseñado.
Ahora le tocaba mostrarle la fuerza que por
dentro siempre había estado.

"Esos pensamientos son solo un error,
a mi me molestaron de pequeña y sentí mucho temor."

"Al enseñarte el mal, no te enseñé el bien que llevas dentro,
que ya es suficiente para protegerte en cualquier momento."

Raquel muy atenta la escuchó
y después de pensar por un momento, le respondió:

"Entonces no tengo porqué preocuparme,
si nadie en verdad quiere molestarme."

"Así es, no tienes nada que temer, siendo tú misma siempre vas a pertenecer."

La mamá sus propias nubes pudo soltar
y esta vez mucha fortaleza logró a su hija dar.

La nube gris en Raquel terminó de desaparecer
y una luz radiante se esparcía por doquier.

El próximo día, sin temor, Raquel se sentó
en el puesto que su compañero Andrés le ofreció.
"Hola Andrés, yo me llamo Raquel."

Raquel aprendió un mensaje superior,
una verdad que siempre ha estado en su interior.

Las nubecitas de confusión no pueden aparecer,
si uno saca la belleza que lo hace resplandecer.

Esa luz radiante que viene del interior,
es lo que utiliza Raquel para derrotar cualquier temor.

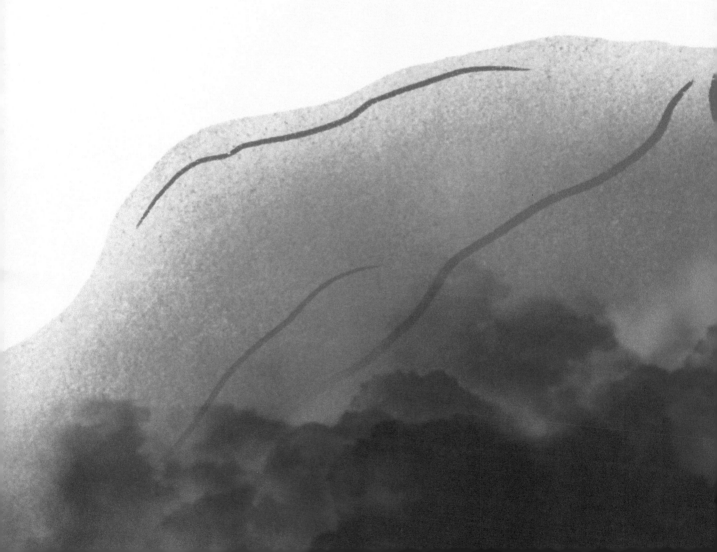

CPSIA information can be obtained
at www.ICGtesting.com
Printed in the USA
BVHW021842020921
615922BV00002B/8

9 781734 816037